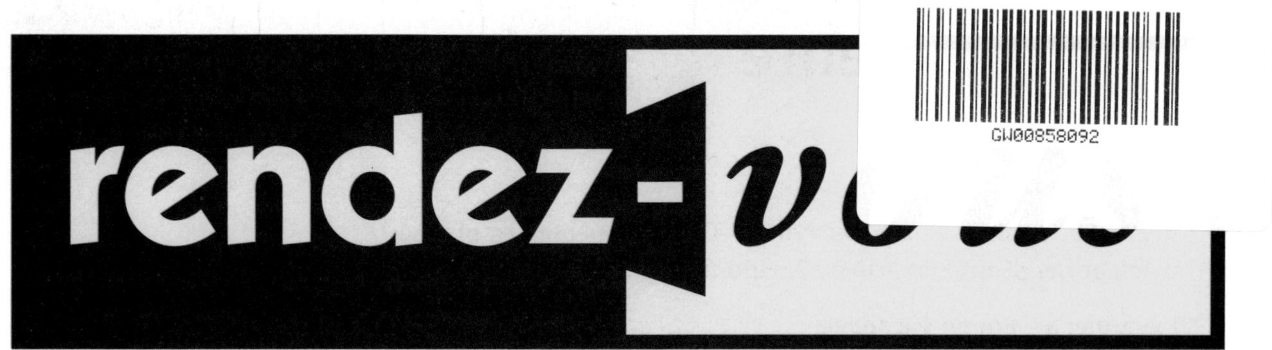

1A Chez moi

ROSI McNAB

1 Je me présente

1 Préparez-vous!

Regardez les images dans l'activité 2. Trouvez les bonnes phrases.
(Look at the pictures in activity 2. Find the right phrases.)

Exemple: a – Bonne vacances!

Bonjour! Bonsoir! Bonne nuit! Bon appétit!
Bonnes vacances! Bon voyage! Au revoir!

2 Ecoutez!

Ecrivez 1 à 7. C'est quelle image?
(Write down 1 to 7. Which picture is it?)

Exemple: 1 – c

3 Ecoutez!

Vérifiez vos réponses.
(Check your replies.)

4 Parlez!

Qu'est-ce que vous dites?
(What do you say?)

Exemple: a – Bonjour!

5 Parlez!

Qu'est-ce que vous dites?
(What do you say?)

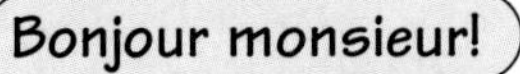

Patrice

M. Lebrun

Mlle Delancourt

Mme Roland

6 Ecoutez!

Ecrivez 1 à 8. Qui parle?
(Write down 1 to 8. Who is speaking?)

Exemple: 1 – M. Lebrun et M. Gilles

Mme Roland et M. Vernon

Mme Beauvoir et Mme Selin

Sylvie et Bérenice

M. Lebrun et M. Gilles

Jeanne et Patrice

Sylvie et Bérenice

M. Simon et Mlle Delancourt

Maurice et Stéphane

7 Parlez!

Travaillez ces dialogues à deux. Changez de rôle!
(Practise these dialogues in pairs. Swap parts!)

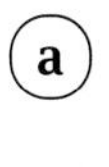

A *Mme Lebrun* **B** *M. Dupont*

(b)

A *Nathalie* **B** *François*

mots-clés

Bonjour/Au revoir, Monsieur/Mademoiselle/Madame...			
Salut!			
Bonsoir! Bonne nuit!			
Bon appétit!			
Bonnes vacances! Bon voyage!			
A	Ça va?	**B**	Oui, ça va/Ça va bien, merci.

Now fill in your progress sheet ✓

Extra! Tournez à la page 22.

2 Je m'appelle...

L'alphabet		
a ah	j dgee	s es
b bay	k ka	t tay
c tsay	l ell	u ooh
d day	m emm	v vay
e uh	n en	w dooble vay
f eff	o oh	x icks
g djay	p pay	y e grecque
h ash	q koo	z zed
i ee	r er	

´	accent aigu	`	accent grave
^	accent circonflex	ç	cédille

1 Ecoutez!

L'alphabet: Suivez et répétez.
(The alphabet: Follow the tape and repeat.)

2 Parlez!

A deux: Lisez les lettres, à tour de rôle.
(In pairs: Take turns to read the letters aloud.)

A H I C R U E T S D G W

3 Ecoutez!

Ecrivez 1 à 8. Comment s'appellent-ils?
(Write down 1 to 8. What are their names?)

Exemple: 1 – Sophie

4 Parlez!

Travaillez ce dialogue à deux. Changez de rôle!
(Practise this dialogue in pairs. Swap parts!)

Comment tu t'appelles? — Je m'appelle Christopher.

Comment ça s'écrit? — C-H-R-I-S-T-O-P-H-E-R.

Où habites-tu? — Manchester.

Comment ça s'écrit? — M-A-N-C-H-E-S-T-E-R.

Quelle est ton adresse? — J'habite 15, Main Road.

Et ton numéro de téléphone? — 514256.

Maintenant, faites encore deux dialogues. Changez les bulles en mauve.
(Now make up two more dialogues. Change the mauve bubbles.)

mots-clés

A		B	
	Comment tu t'appelles?		Je m'appelle...
	Comment ça s'écrit?		Ça s'écrit...
	Où habites-tu?		J'habite à Birmingham/Edimbourg/...
	Quelle est ton adresse?		J'habite...
	Quel est ton numéro de téléphone?		...

0 zéro 1 un 2 deux 3 trois 4 quatre 5 cinq 6 six 7 sept 8 huit 9 neuf 10 dix

5 Préparez-vous!

Trouvez les bonnes phrases dans les mots-clés.
(Find the right sentences in the *mots-clés.*)

Exemple: Patrice – J'habite en France.

Patrice *Fred* *Harry* *Sally* *Cathy* *Isabel* *Céline*

6 Lisez!

Qui écrit?
(Who is writing?)

Exemple: a – Sally

a J'habite dans une grande ville dans le nord de l'Angleterre.

b J'habite à Edimbourg, en Ecosse.

c J'habite près de la mer à Cork, en Irlande.

d J'habite à Melbourne, en Australie.

e J'habite dans un petit village dans les montagnes, au Pays de Galles.

7 Parlez!

Qu'est-ce que vous dites? Regardez les mots-clés.
(What do you say? Look at the *mots-clés.*)

Exemple: a – J'habite en France. Je suis français.

a Denis: France

b Jenny: Irlande

c Mélanie: Australie

d David: Pays de Galles

e Alistair: Ecosse

mots-clés

A	Où habites-tu?	B	J'habite	en	Angleterre. Ecosse. France. Irlande. Australie.
				au	Pays de Galles.
	Tu es de quelle nationalité?		Je suis anglais(e)/australien(ne)/ écossais(e)/français(e)/irlandais(e)/gallois(e).		

Now fill in your progress sheet ✓

Extra! Tournez à la page 23.

3 Bon anniversaire!

1 Ecoutez!

Ecrivez 1 à 12. Ils ont quel âge?
(Write down 1 to 12. What age are they?)

Exemple: 1 – 13

2 Ecoutez!

Ecrivez 1 à 10. Choisissez **a** ou **b**.
(Write down 1 to 10. Choose **a** or **b**.)

Exemple: 1 – a

1 a 29 **b** 19
2 a 15 **b** 5
3 a 6 **b** 16
4 a 12 **b** 22
5 a 13 **b** 3
6 a 40 **b** 14
7 a 4 **b** 40
8 a 12 **b** 2
9 a 7 **b** 17
10 a 20 **b** 21

Les numéros de 11 à 100

11 onze	21 vingt et un	31 trente et un
12 douze	22 vingt-deux	40 quarante
13 treize	23 vingt-trois	50 cinquante
14 quatorze	24 vingt-quatre	60 soixante
15 quinze	25 vingt-cinq	70 soixante-dix
16 seize	26 vingt-six	75 soixante-quinze
17 dix-sept	27 vingt-sept	80 quatre-vingts
18 dix-huit	28 vingt-huit	90 quatre-vingt-dix
19 dix-neuf	29 vingt-neuf	99 quatre-vingt-dix-neuf
20 vingt	30 trente	100 cent

3 Ecoutez!

Ecrivez 1 à 8. Qui parle?
(Write down 1 to 8. Who is speaking?)

Exemple: 1 – Samuel

4 Parlez!

Regardez les images dans l'activité 3. Qu'est-ce que vous dites?
(Look at the pictures in activity 3. What do you say?)

Exemple: Mélanie – J'ai onze ans.

5 Ecoutez!

Ecrivez 1 à 8. C'est quand leur anniversaire?
(Write down 1 to 8. When are their birthdays?)

Exemple: 1 – 12/4

Les mois de l'année

janvier février mars avril mai juin juillet août
septembre octobre novembre décembre
NB: 1 mars – le premier mars
2 avril – le deux avril

6 Parlez!

a) A deux: Lisez les dates à haute voix, à tour de rôle.
(In pairs: Take turns to read the dates aloud.)

Exemple: a – le trois octobre

a 3.10　b 11.9　c 31.5
d 1.4　e 16.4　f 25.12

b) Travaillez ces dialogues à deux. Changez de rôle!
(Practise these dialogues in pairs. Swap parts!)

a

Quel âge as-tu?
J'ai quinze ans.
C'est quand, ton anniversaire?
Mon anniversaire, c'est le vingt-deux juillet.

Nom:	b Sandrine	c Frederick	d James	e Sarah	f Eric	g Catherine
Age:	16	12	19	15	25	20
Anniversaire:	20/2	16/9	15/11	29/12	15/5	7/8

7 Lisez!

Qui écrit?
(Who is writing?)

Exemple: a – Eric

a J'ai vingt-cinq ans.

b Mon anniversaire est le vingt février.

c J'ai dix-neuf ans.

d Mon anniversaire est le vingt-neuf décembre.

e Mon anniversaire est le sept août.

mots-clés

A		B	
	Quel âge as-tu?		J'ai... ans
	C'est quand, ton anniversaire?		Mon anniversaire est le...
	C'est quelle date?		C'est le...

Now fill in your progress sheet ✓

Extra! Tournez à la page 24.

4 Je suis... et toi?

1 Ecoutez!

Ecrivez 1 à 6. Qui parle?
(Write down 1 to 6. Who is speaking?)

Exemple: 1 – Rachid

2 Parlez!

Regardez les images dans l'activité 1.
Qu'est-ce que vous dites?
(Look at the pictures in activity 1.
What do you say?)

Exemple:
J'ai les yeux... et les cheveux...
Je suis grand(e)/petit(e)/de taille moyenne/...

3 Parlez!

Présentez-vous!
(Introduce yourself!)

Exemple:
Je m'appelle...
J'ai les yeux... et les cheveux...
Je suis grand(e)/petit(e)/...

4 Lisez!

Regardez les images dans l'activité 1. Qui écrit?
(Look at the pictures in activity 1. Who is writing?)

François Nadège Philippe Sandrine Rachid Christine

Exemple: a – François

a) Mes yeux sont bleus et mes cheveux sont roux. Je suis de taille moyenne.

b) **Mes yeux sont marron. J'ai les cheveux noirs bouclés et je suis assez grand.**

c) J'ai les cheveux noirs, courts, frisés et les yeux marron. Je suis très grande.

d) *J'ai les yeux gris, les cheveux longs et raides. Je suis assez grand et je mange beaucoup!*

e) **Je suis assez petite et mince. J'ai les yeux verts et les cheveux blonds, mi-longs.**

f) Mes yeux sont bleus et mes cheveux sont châtains. Je suis de taille moyenne et je porte des lunettes.

5 Ecrivez!

Recopiez et complétez la grille.
(Copy and complete the grid.)

Exemple:

	Yeux	Cheveux	Taille
François	*bleus*	*roux*	*de taille moyenne*
Nadège			
Philippe			
Sandrine			
Rachid			
Christine			

Now fill in your progress sheet ✓

Extra! Tournez à la page 25.

mots-clés

A	Tu es comment? Vous êtes comment?		
B	Je suis	assez très	grand(e). petit(e). mince. gros(se).
		de taille moyenne.	
	J'ai	les yeux	bleus. gris. marron. verts.
		les cheveux	châtains. noirs. blonds. roux.
			longs. courts. mi-longs. raides. bouclés. frisés.
	Je porte	des lunettes. des lentilles de contact.	

Ma famille... et ta famille?

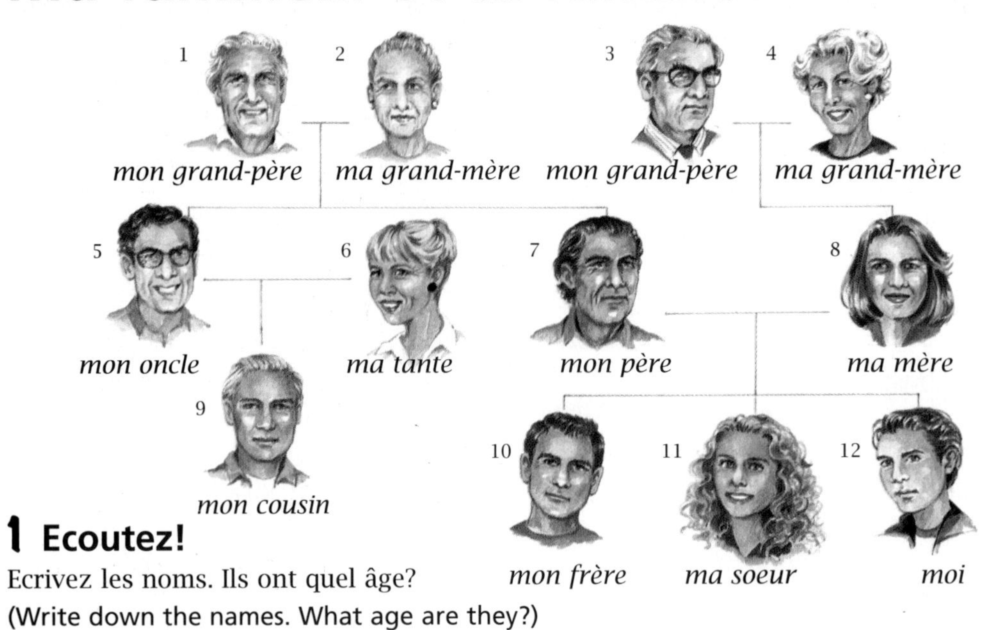

1 Ecoutez!

Ecrivez les noms. Ils ont quel âge?
(Write down the names. What age are they?)

Exemple: Grand-père – Paul, 65
Grand-mère – ...

2 Ecoutez!

Ecrivez 1 à 6. Qui parle?
(Write down 1 to 6. Who is speaking?)

Exemple: 1 – c

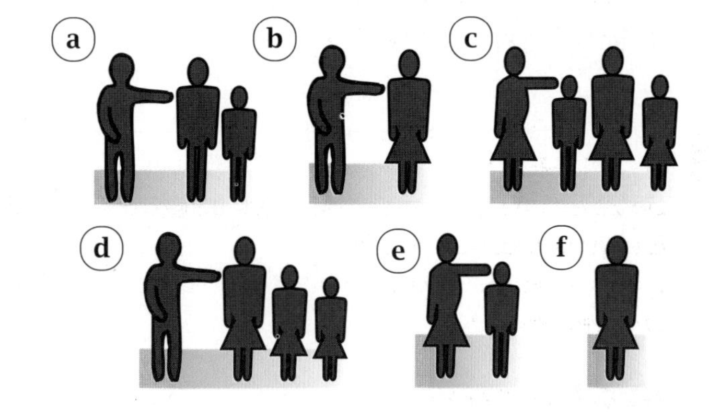

3 Parlez!

Regardez les symboles dans l'activité 2.
Qu'est-ce que vous dites?
(Look at the symbols in activity 2.
What do you say?)

Exemple: a – J'ai deux frères.

4 Ecoutez!

Ecrivez 1 à 7. C'est quelle image?
(Write down 1 to 7. Which picture is it?)

Exemple: 1 – g

a

b

c

d

e

f

g

5 Lisez!

Liez les descriptions et les bonnes images.
(Match up the descriptions and the right pictures.)

Exemple: 1 – e

a J'ai deux frères et une soeur. Mes frères s'appellent Eric et Marc et ma soeur s'appelle Catherine.
Simeon

b J'ai un frère et une soeur. Mon frère s'appelle Yann et il a douze ans. Ma soeur s'appelle Anouk et elle a quinze ans.
Patrick

c Je n'ai pas de frère ni de soeur. Je suis fille unique.
Michelle

d Je suis fils unique mais j'ai un chien qui s'appelle Rimbaud.
Fabien

e J'ai une soeur qui s'appelle Laurence et une soeur qui s'appelle Olivia.
Maurice

6 Ecrivez!

Dessinez une 'photo' de votre famille (ou d'une famille imaginaire) et décrivez-la.
(Draw a 'photo' of your family (or of an imaginary family) and describe it.)

un demi-frère = *stepbrother*
mon beau-père = *my stepfather*
une demi-soeur = *stepsister*
ma belle-mère = *my stepmother*

mots-clés

J'ai	un frère. une soeur.	
	deux trois	frères. soeurs.
	un(e) cousin(e).	
Je suis	fille unique. fils unique.	
Mon	frère père grand-père	s'appelle...
Ma	soeur mère grand-mère	a douze/... ans.

J'ai	un	chien. chat. lapin. cochon d'Inde. oiseau.
	une	tortue.
Je n'ai pas d'animal.		

Now fill in your progress sheet ✓

Extra! Tournez à la page 26.

6 Au boulot

1 Préparez-vous!

Regardez les images dans l'activité 2. Trouvez les bons mots dans les mots-clés.
(Look at the pictures in activity 2. Find the right words in the *mots-clés*.)

2 Ecoutez!

a) Ecrivez 1 à 15. Que font-ils?
(Write down 1 to 15. What do they do?)

Exemple: 1 – f

b) Ecrivez les réponses.
(Write out the replies.)

Exemple: Il est agriculteur.

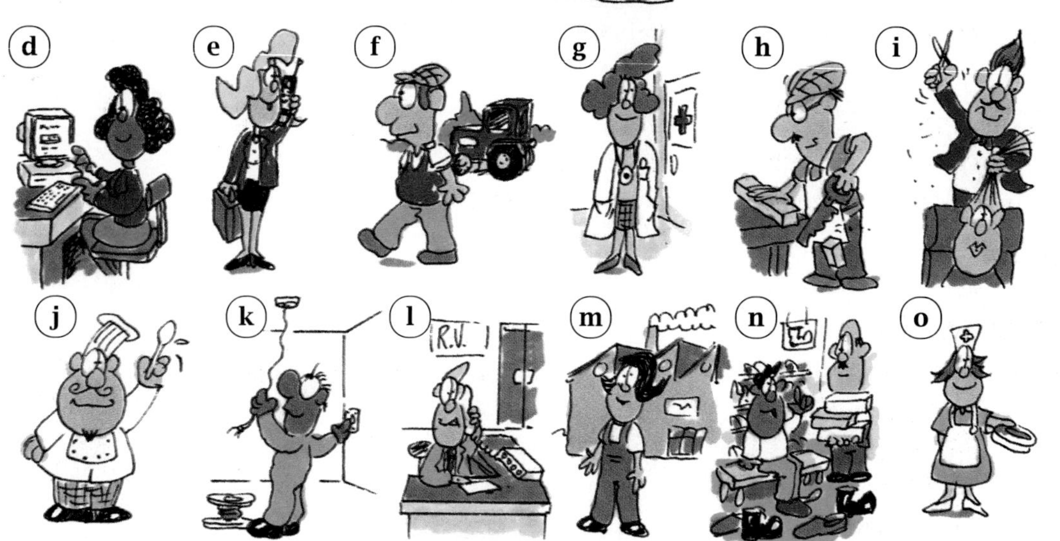

3 Parlez!

A deux: Faites des recherches. Trouvez trois autres métiers.
(In pairs: Do some research. Find out the names of three more professions.)

Exemple: Comment dit-on 'lorry driver' en français?

Chauffeur de camion.

4 Ecrivez!

Et les membres de votre famille? Que font-ils?
(What about the members of your family? What do they do?)

Exemple: Mon père est... . Ma mère est...
Mon frère est... . Ma soeur est...

5 Préparez-vous!

Regardez les images dans l'activité 6. Trouvez les bons mots dans les mots-clés.
(Look at the pictures in activity 6. Find the right words in the *mots-clés*.)

6 Ecoutez!

Ecrivez 1 à 8. Où travaillent-ils?
(Write down 1 to 8. Where do they work?)

Exemple: 1 – d

7 Ecrivez!

Où travaillent-ils? Regardez les images dans l'activité 2 et les mots-clés.
(Where do they work? Look at the pictures in activity 2 and the *mots-clés*.)

Exemple: Un mécanicien travaille dans un garage.

8 Ecoutez!

Ecrivez 1 à 8. Aiment-ils le travail? (Oui/Non).
(Write down 1 to 8. Do they like their jobs? (Yes/No).)

Exemple: 1 – Oui

mots-clés

Il/Elle est	
	agriculteur/trice.
	chef cuisinier.
	coiffeur/se.
	électricien/ne.
	homme/femme d'affaires.
	infirmier/ère.
	informaticien/ne.
	maçon.
	mécanicien/ne.
	médecin.
	menuisier.
	ouvrier/ière.
	réceptionniste.
	secrétaire.
	vendeur/se.

Il/Elle travaille			
	sur	un chantier.	
	dans	une	ferme.
			usine.
		un	magasin.
			salon de coiffure.
			garage.
			bureau
			cabinet médical.
			restaurant.
			hôpital.
Il/Elle est au chômage.			

Now fill in your progress sheet ✓

Extra! Tournez à la page 27.

Il/Elle est au chômage = *He/She is unemployed.*

7 Loisirs

1 Préparez-vous!

Regardez les images dans l'activité 2. Trouvez les bons mots dans les mots-clés.
(Look at the pictures in activity 2. Find the right words in the *mots-clés*.)

2 Ecoutez!

Ecrivez 1 à 8. Qu'est-ce qu'ils aiment faire?
(Write down 1 to 8. What do they like to do?)

Exemple: 1 – c, d

3 Parlez!

Vous êtes Lucie/Paul. Qu'est-ce que vous dites?
(You are Lucie/Paul. What do you say?)

Exemple: J' aime... . Je n'aime pas...

Lucie *Paul*

4 Ecrivez!

Et vous, qu'est-ce que vous aimez faire? Recopiez et complétez la grille.
(What do you like to do? Copy and complete the grid.)

Exemple:

J'aime	Je n'aime pas	C'est OK
aller au cinéma		

5 Parlez!

a) A deux: Interviewez votre partenaire. Notez ses réponses.
Changez de rôle!
(Interview your partner. Make a note of his/her answers. Swap parts!)

Aimes-tu aller/faire/... ?

Oui/Non.

b) Ecrivez le résumé des réponses de votre partenaire.
(Write a summary of your partner's replies.)

Exemple: Il/Elle aime...
Il/Elle n'aime pas...
Il/Elle trouve... OK.

6 Parlez!

C'est comment? Trouvez une activité pour chaque expression.
(What's your opinion? Find an activity for each expression.)

Exemple: Faire du vélo – C'est super!

C'est pénible!
C'est super!
C'est marrant!
C'est cool!
C'est barbant!
Bof!
C'est nul!
C'est pas mal!

mots-clés

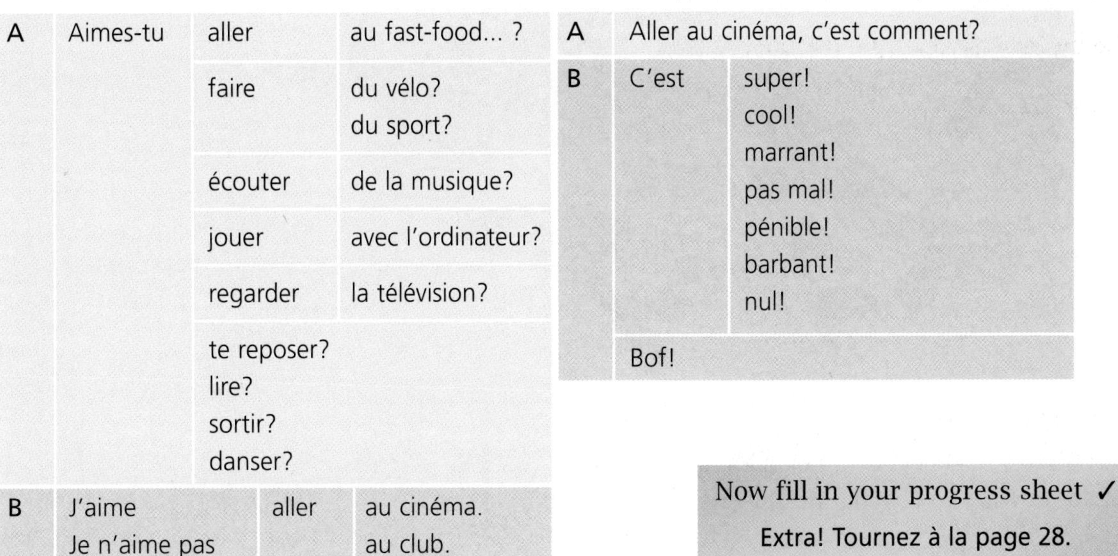

A	Aimes-tu	aller	au fast-food... ?
		faire	du vélo? du sport?
		écouter	de la musique?
		jouer	avec l'ordinateur?
		regarder	la télévision?
		te reposer? lire? sortir? danser?	
B	J'aime Je n'aime pas	aller	au cinéma. au club.

A	Aller au cinéma, c'est comment?	
B	C'est	super! cool! marrant! pas mal! pénible! barbant! nul!
	Bof!	

Now fill in your progress sheet ✓

Extra! Tournez à la page 28.

On fait du sport

1 Préparez-vous!

Regardez les images dans l'activité 2. Trouvez les bons mots dans les mots-clés.
(Look at the pictures in activity 2. Find the right words in the *mots-clés*.)

Exemple: a – nager

2 Ecoutez!

Ecrivez 1 à 8. Qu'est-ce qu'ils aiment faire?
(Write down 1 to 8. What do they like to do?)

Exemple: 1 – d, j

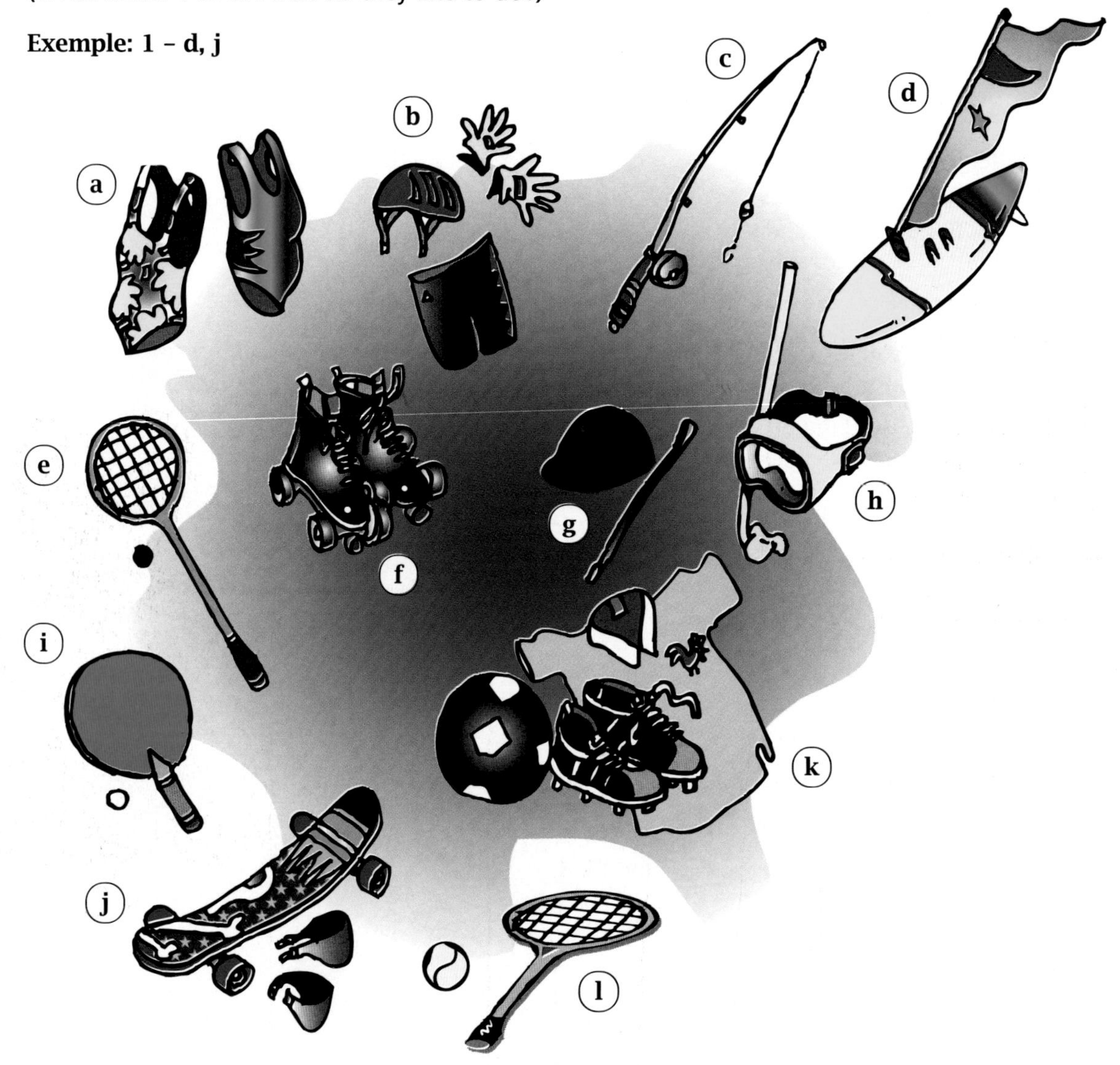

3 Ecoutez!

Ecrivez 1 à 8. Qu'est-ce qu'ils n'aiment pas faire?
(Write down 1 to 8. What do they not like to do?)

Exemple: 1 – k

4 Ecrivez!

Faites une liste de trois activités que vous aimez faire!
(Write out a list of three activities which you like doing!)

Exemple: J'aime...

5 Parlez!

Travaillez ces dialogues à deux. Changez de rôle!
(Practise these dialogues in pairs. Swap parts!)

Maintenant, faites vos propres dialogues.
(Now make up your own dialogues.)

6 Ecrivez!

Qu'est-ce que vous allez faire ce week-end?
(What are you going to do this weekend?)

Exemple: Je vais jouer au squash.

mots-clés

A	Tu aimes... ? Qu'est-ce que tu vas faire?			
B	Oui, j'aime Non, je n'aime pas	nager. plonger.		
	Je vais	jouer	au	foot tennis. squash. ping-pong.
		faire	du	vélo. skate. patin à roulettes.
			de	l'équitation.
			de la	planche.
		aller	à la pêche.	

Now fill in your progress sheet ✓

Extra! Tournez à la page 29.

Préférences

1 Ecoutez!

Ecrivez 1 à 10. Qu'est-ce qu'il préfère?
(Write down 1 to 10. What does he prefer?)

Exemple: 1 – a

2 Ecrivez!

Qu'est-ce que vous préférez? Choisissez la bonne réponse.
(What do you prefer? Choose the right answer.)

Exemple: 1 – Je préfère jouer au foot.
2 – Je préfère le bleu.

1 Préfères-tu jouer... ?
- a au foot
- b au tennis
- c au ping-pong
- d autre

2 Préfères-tu... ?
- a le rouge
- b le bleu
- c le noir
- d autre

3 Préfères-tu... ?
- a les maths
- b l'anglais
- c la géo
- d autre

4 Préfères-tu jouer... ?
- a au Monopoly
- b aux cartes
- c aux jeux vidéo
- d autre

5 Préfères-tu écouter... ?
- a de la musique pop
- b de la musique classique
- c de la musique folk
- d autre

6 Préfères-tu manger... ?
- a les pizzas
- b les gâteaux
- c les salades
- d autre

7 Préfères-tu boire... ?
- a du coca
- b du jus d'orange
- c du café
- d autre

8 Quelles émissions préfères-tu?
- a les feuilletons
- b les bandes dessinées
- c les films
- d autre

9 Qu'est-ce que tu préfères lire?
- a les magazines
- b les romans
- c les policiers
- d autre

10 Où est-ce que tu préfères passer les vacances?
- a au bord de la mer
- b à la campagne
- c à la montagne
- d autre

3 Ecrivez!

Recopiez et complétez la fiche. Regardez vos réponses de l'activité 2.
(Copy and complete the form. Look at your answers to activity 2.)

Mes préférences

Mon sport préféré: ....tennis..........
Mon plat préféré: ....
Mon livre préféré: ....
Ma boisson préférée: ....
Ma musique préférée: ....
Ma matière préférée: ....
Mes vacances préférées: ....

4 Parlez!

a) A deux: Interviewez votre partenaire. Changez de rôle!
(In pairs: Interview your partner. Swap parts!)

Qu'est-ce que tu préfères comme musique/sport/...?

Je préfère...

b) Ecrivez un résumé des réponses de votre partenaire.
(Write out a summary of your partner's replies.)

Exemple: Comme boisson il/elle préfère...

mots-clés

A	Qu'est-ce que tu préfères comme	musique? sport? jeu? couleur? plat? boisson? émission? vacances? matière?	B	Je préfère	la musique pop. jouer au foot. jouer aux cartes. le rouge. les pizzas. le café. les feuilletons. les vacances au bord de la mer. le français.
	Qu'est-ce que tu préfères lire?				les magazines.

Mon	sport jeu plat livre	préféré, c'est...
Ma	boisson couleur matière	préférée, c'est...
Mon	émission	préférée, c'est...
Mes	vacances	préférées, ce sont...

Now fill in your progress sheet ✓

Extra! Tournez à la page 30.

Magazine

Cherche - corres.

Je cherche une corres. avec les même goûts que moi – j'aime faire de l'équitation et du vélo. J'aime surtout être à la campagne. J'ai horreur des grandes villes.

Sarah

Je préfère rester chez moi. J'aime surtout...me reposer. Je déteste le sport! Si tu es comme moi écris-moi!

Paul

J'aime aller chez mes copains, regarder la télé et les vidéos, jouer aux cartes. J'adore les chats.

Séverine

Qui veut faire du vélo avec moi? C'est ma passion! Ecris-moi bientôt!

Rachid

Salut! Je suis assez sportive. Je fais partie d'un club de basket. En été je fais de la planche à voile mais je préfère le basket. J'ai les cheveux châtains et les yeux gris. **Sandrine**

Je suis australienne. J'adore nager et je fais de la planche à voile. Je préfère passer mes vacances au bord de la mer. Si vous aimez la plage, le soleil et l'eau, écrivez-moi! **Libby**

18 ans, de taille moyenne. J'adore aller au cinéma et je collectionne des posters de vedettes de cinéma. J'ai les cheveux noirs bouclés et je suis très grand. Ecris-moi. Réponse assurée. **Denis**

Je préfère rester chez moi. Je joue avec l'ordinateur, je lis des magazines, j'écoute de la musique. Je cherche un corres. qui veut correspondre par E-mail.
Coralie

J'aime aller en ville, sortir avec mes copains, aller au fast-food. J'ai les cheveux blonds et les yeux bleus et je suis beau. Ecris-moi vite et envoie une photo!
Benjamin

Qui veut m'écrire? J'ai dix-sept ans. Je suis sportive et j'adore la musique. Ecris-moi vite!
Lydie

J'écoute de la musique du matin au soir. La musique est très importante pour moi.
Daniel

◀ Activité

Find a pen-friend for these people!

Name	*Interest*
Jim	loves the seaside
Dominic	basketball
Matthew	computers
Christine	loves music
David	likes countryside
Katy	not very energetic
Kim	going out with friends
Richard	prefers indoors, likes animals
Anne	loves cycling
Karen	cinema
Steve	sporty, loves music

Jeu-test: Fana de sport ou pas?

1	Tu fais du sport ...	▲	1 heure par jour ou plus
		▼	5 heures par semaine ou moins
2	Tu fais du sport ...	▲	au collège et dans un club
		▼	au collège seulement
3	Tu préfères ...	▲	les sports individuels
		▼	les sports d'équipe
4	Tu fais du sport ...	▲	pour être en forme
		▼	pour être avec tes copains
5	Tu voudrais être champion ...	▲	pour gagner beaucoup d'argent
		▼	pour voyager
6	Tu préfères ...	▲	l'entraînement
		▼	la compétition
7	Quand tu fais du sport ...	▲	tu fais beaucoup d'efforts
		▼	tu t'amuses bien
8	Tu voudrais surtout rencontrer ...	▲	un champion sportif
		▼	un chanteur célèbre
9	Le plus important dans un match ...	▲	c'est de gagner
		▼	c'est de bien jouer

RESULTATS

- Si tu as une majorité de ▲, tu es un(e) fana de sport. Le sport, c'est la chose la plus importante dans ta vie.
  BONNE CHANCE!
- Si tu as une majorité de ▼, tu aimes le sport, surtout parce que tu aimes être avec tes copains, et tu aimes aussi beaucoup d'autres choses.
  CONTINUE, ET AMUSE-TOI BIEN!

Moins	*less*
équipe	*team*
entraînement	*training*
rencontrer	*to meet*
chanteur	*singer*
célèbre	*famous*
gagner	*to win; to earn*
ta vie	*your life*
surtout	*above all*

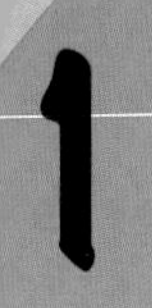

Je me présente

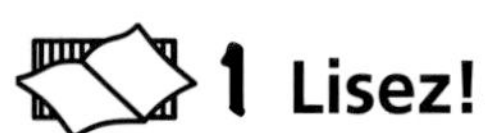

1 Lisez!

Rédigez un glossaire de phrases utiles:
Liez le français et l'anglais.
(Draw up a glossary of useful phrases:
Match up the French and the English.)

I don't understand.
Take a seat!
Come in!
Pardon?
Could you repeat that?
Again!
Please.
Sorry.
Thank you.
Do you speak English?
Yes.
No.
How do you say it in French?
How do you spell that?

Ça s'écrit comment?
Comment dit-on ça en français?
Comment?
Voulez-vous répéter cela?
Encore!
Entrez!
Asseyez-vous!
Excusez-moi.
Je ne comprends pas.
Merci.
Non.
Oui.
Parlez-vous anglais?
S'il vous plaît/S'il te plaît.

Les questions:	
Qui?	*Who?*
Qui vient?	*Who is coming?*
Que...?	*What...?*
Qu'est-ce que c'est?	*What is it?*
Où?	*Where?*
Où habitez-vous?	*Where do you live?*
Quel... ?/Quelle... ?	*What... ?*
Quel âge as-tu?	*What age are you?*
Quelle est la date?	*What is the date?*
Quand?	*When?*
Quand arrive-t-il/elle?	*When does he/she arrive?*
Pourquoi?	*Why?*
Pourquoi es-tu en retard?	*Why are you late?*
... parce que...	*... because...*
... parce que j'ai raté le bus.	*... because I missed the bus.*
Comment?	*How?*
Comment ça va?	*How are you?*
Combien?	*How much?*
Ça coûte combien?	*How much is it?*
Avez-vous...?/As-tu...?	*Have you....?*
Avez-vous un ordinateur?	*Do you have a computer?*
Voulez-vous... ?/Veux-tu... ?	*Do you want... ?*
Veux-tu sortir ce soir?	*Do you want to go out tonight?*

2 Ecrivez!

Complétez les questions.
(Complete the questions.)

a ... tu t'appelles?
b ... âge as-tu?
c ... habites-tu?
d ... est la date de ton anniversaire?
e ... des frères ou des soeurs?
f ... jouer aux cartes?
g Les disques coûtent... ?

Je m'appelle...

1 Ecrivez!

Comment s'appellent-ils?
Où habitent-ils?
Quel âge ont-ils?
(What are they called?
Where do they live?
What age are they?)

Exemple: Il/Elle s'appelle...
Il/Elle habite à... , en/au...
Il/Elle a... ans

2 Ecrivez!

Qui est-ce? Recopiez et complétez la grille.
(Who is it? Copy and complete the grid.)

	Nationalité	Nom
Exemple:	anglais	*Michael*
	galloise	
	écossais	
	écossaise	
	français	
	française	
	irlandaise	
	suisse	

Bon anniversaire!

course = *race*
cadeau = *present*
vêtements = *clothes*

1 Lisez!

Lisez les horoscopes.
(Read the horoscopes.)

VERSEAU 21 janvier–18 février
Vous allez recevoir beaucoup d'argent.

POISSONS 19 février–20 mars
Vous allez faire un long voyage.

BÉLIER 21 mars–20 avril
Vous allez acheter de nouveaux vêtements.

TAUREAU 21 avril–21 mai
Vous allez trouver un nouvel emploi.

GÉMEAUX 22 mai–21 juin
Vous allez avoir des difficultés avec les parents.

CANCER 22 juin–23 juillet
Vous allez trouver un nouvel ami/une nouvelle amie.

LION 24 juillet–23 août
Vous allez avoir des difficultés financières.

VIERGE 24 août–23 septembre
Vous allez faire beaucoup de sport.

BALANCE 24 septembre–23 octobre
Vous allez recevoir un cadeau-surprise.

SCORPION 24 octobre–22 novembre
Vous allez gagner une course.

SAGITTAIRE 23 novembre–21 décembre
Vous allez changer de maison.

CAPRICORNE 22 décembre–20 janvier
Vous allez avoir de bonnes notes.

2 Lisez!

Ecrivez 1 à 6. Ils sont de quel signe?
(Write down 1 to 6. Which star sign are they?)

Exemple: 1 – Scorpion.

1

2

3

4

5
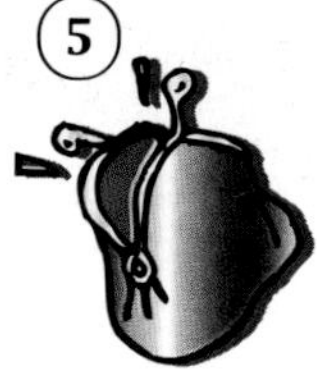

6

3 Ecrivez!

a) Vous êtes de quel signe?
(Which star sign are you?)

Exemple: Je suis...

b) Lisez votre horoscope ci-dessus. Qu'est-ce que vous allez faire?
(Read your horoscope above. What are you going to do?)

Exemple: Je vais....

4 Ecrivez!

Ecrivez un horoscope pour trois ami(e)s.
(Write a horoscope for three friends.)

Exemple: Cathy: Vous allez recevoir beaucoup d'argent.

Extra!

Je suis... et toi?

Martin *Yvette* *Sylvie* *Bertrand*

Auban *François* *Françoise* *Cécile*

1 Lisez!

Qui est-ce?
(Who is it?)

Exemple: 1 – Bertrand

1 Il/Elle a les yeux bleus et les cheveux blonds courts.

2 Il/Elle a les cheveux châtains longs bouclés et les yeux verts.

3 Il/Elle a les cheveux marron mi-longs frisés et les yeux marron.

4 Il/Elle a les cheveux roux mi-longs et les yeux verts.

5 Il/Elle a les cheveux roux courts frisés et les yeux verts.

6 Il/Elle a les yeux bruns et les cheveux blonds courts.

7 Il/Elle a les cheveux noirs courts frisés et les yeux marron.

2 Ecrivez!

Décrivez la personne qui reste.
(Describe the remaining person.)

Exemple: Il/Elle a...

Ma famille... et ta famille?

1 Lisez!

Comment s'appellent-ils?
(What are their names?)

Exemple: 1 – Henri

Mon père s'appelle Maurice et il a trente-huit ans. Ma belle-mère s'appelle Murielle et elle a trente-quatre ans. Mon grand-père s'appelle Henri et ma grand-mère s'appelle Janine. J'ai un frère aîné qui s'appelle Antoine. Il a dix-sept ans, et une soeur qui s'appelle Gwenaelle. Elle a quatorze ans. Nous avons deux demi-soeurs: Françoise, qui a trois ans et le bébé, Christelle, qui a dix-huit mois. Notre chien s'appelle Dixie.

Et moi? C'est moi qui prends la photo!

Au boulot

1 Lisez!

Qui est-ce? Utilisez un dictionnaire si nécessaire.
(Who is it? Use a dictionary if you need to.)

Exemple: 1 C'est la tante de Jules. Elle est...

Mon père fait du bricolage. Il travaille le bois.
Ma mère travaille dans un salon.
Mon grand-père travaille au dehors avec les plantes.
Ma grand-mère vend des fleurs et des plantes.
Ma grande soeur travaille dans un bureau.
Mon grand frère fait un apprentissage.
Ma demi-soeur fait ses études.
Mon oncle Pierre travaille dans une boulangerie.
Ma tante Amélie tient un hôtel.
Ma tante Sophie dirige une compagnie qui fait les produits de beauté.
Mon oncle Hubert distribue le courrier.

Jules

Loisirs

1 Lisez!

Qu'est-ce qu'ils ont? Qu'est-ce qu'ils veulent faire?
Ecrivez les phrases dans le bon ordre.
(What's the matter with them? What do they want to do?
Write the sentences in the right order.)

Exemple: 1 – Il a joué au tennis. Il a soif. Il veut boire.

1 Il a joué au tennis.	Il est fatigué.	Elle veut manger.
2 Il s'est fait bronzé.	Il a soif.	Il veut se reposer.
3 Il a fait des courses.	Il a chaud.	Il veut boire.
4 Elle a fait du jogging.	Elle a faim.	Il veut boire un chocolat chaud.
5 Elle a fait du vélo.	Il a froid.	Il veut manger une glace.
6 Il a fait du ski.	Elle est trempée.	Elle veut se sécher avec une serviette.

2 Ecrivez!

Qu'avez-vous?
(What the matter with you?)

J'ai soif = *I'm thirsty*	J'ai froid = *I'm cold*
Je suis fatigué(e) = *I'm tired*	J'ai faim = *I'm hungry*
J'ai chaud = *I'm warm*	Je suis trempé(e) = *I'm wet*

Exemple: 1 J'ai soif.

On fait du sport

1 Lisez!

Qu'est-ce qu'on peut faire à Chamonix? Utilisez un dictionnaire si nécessaire.
(What can you do at Chamonix? Use a dictionary if you need to.)

Exemple: c, ... on peut nager

J'habite en montagne, à Chamonix, dans les hautes Alpes, près du Mont Blanc. Il y a beaucoup de touristes. En été, on peut nager, jouer au tennis, faire des escalades ou faire des randonnées dans les montagnes. En hiver, on peut faire du sport des neiges comme le ski, le surf, la luge et le patinage. Je préfère l'hiver, parce que j'adore le surf!

2 Ecrivez!

Qu'est-ce qu'on peut faire près de chez vous?
(What can you do near where you live?)

Exemple: Ici on peut...

Préférences

Lisez!

Trouvez un(e) corres pour John et pour Karen.
(Find a penfriend for John and for Karen.)

Nom	John Smith	Karen Brown
Loisirs		
Sports		
Couleur préférée		
Emission préférée		
Vacances préférées		
Plat préféré		
Musique préférée		

	Nathalie	André	Sophie	Marc	Coralie	Matthieu
Loisirs	télévision	danser	équitation	ordinateur, télévision	mes animaux	musique, aller en ville
Sports	volley	nager	foot	vélo	judo	tennis, squash
Couleur préférée	violet	vert	orange	rouge	blanc	jaune
Emission préférée	films	bandes dessinées	films	sport	nature	feuilletons
Vacances préférées	à la montagne	dans une grande ville	chez moi	à la campagne ou au bord de la mer	camping	au bord de la mer
Plat préféré	viande	fruits	chips	pizzas	Big Mac	tout!
Musique préférée	rock	hard rock	le jazz	hard rock	la musique classique	rock

à la campagne = *countryside*
au bord de la mer = *seaside*
chips = *crisps*
viande = *meat*

Vocabulaire

Unit 1

bonjour hello
au revoir goodbye
salut! hi!
bonsoir good evening
bonne nuit goodnight
bon appétit enjoy your meal
bonnes vacances have a good holiday
bon voyage have a good journey
ça va? how are you?
ça va O.K.
ça va bien, merci fine, thanks

Unit 2

comment tu t'appelles? what's your name?
je m'appelle... my name is...
comment ça s'écrit? how is that spelt?
ça s'écrit... it's spelt...
où habites-tu? where do you live?
j'habite à... I live in...
quelle est ton adresse? what's your address?
j'habite... I live at...
quel est ton numéro de téléphone? what's your telephone number?
où habites-tu? where do you live?
j'habite en Angleterre I live in England
en Ecosse in Scotland
en France in France
en Irlande in Ireland
en Australie in Australia
j'habite au Pays de Galles I live in Wales
tu es de quelle nationalité? what nationality are you?
je suis anglais(e) I'm English
australien(ne) Australian
écossais(e) Scottish
française(e) French
irlandais(e) Irish
gallois(e) Welsh

Unit 3

quel âge as-tu? how old are you?
j'ai ... ans I'm...
c'est quand, ton anniversaire? when is your birthday?
mon anniversaire est le... my birthday's on the...
c'est quelle date? what's the date?
c'est le... it's the...

Unit 4

tu es/vous êtes comment? what do you look like?
je suis... I am...
assez quite
très very
grand(e) tall
petit(e) small
mince slim
de taille moyenne average height
gros(se) big, fat
j'ai I have
les yeux bleus blue eyes
les yeux gris grey eyes
les yeux marron brown eyes
les yeux verts green eyes
les cheveux châtains auburn hair
les cheveux noirs black hair
les cheveux blonds blond hair
les cheveux roux red hair
les cheveux longs long hair
les cheveux courts short hair
les cheveux mi-longs mid-length hair
les cheveux raides straight hair
les cheveux bouclés curly hair
les cheveux frisés very curly hair
je porte des lunettes I wear glasses
des lentilles de contact contact lenses

Unit 5

j'ai I have
un frère one brother
une soeur one sister
deux frères two brothers
trois soeurs three sisters
un(e) cousin(e) a cousin
je suis I am
fille unique an only child (girl)
fils unique an only child (boy)
mon frère s'appelle... my brother's called...
mon père my father
ma mère my mother
ma soeur a ... ans my sister's ... years old
j'ai I have
un chien a dog
un chat a cat
un lapin a rabbit
un cochon d'Inde a guinea pig
un oiseau a bird
une tortue a tortoise
je n'ai pas d'animal I don't have a pet

Unit 6

Il/Elle est He/She is a...
agriculteur/trice farmer
chef cuisinier chef
coiffeur/se hairdresser
électricien/ne electrician
homme/femme d'affaires businessman/woman
infirmier/ère nurse

maçon builder, bricklayer
mécanicien/ne mechanic
médecin doctor
menuisier carpenter
ouvrier/ière labourer
réceptionniste receptionist
secrétaire secretary
vendeur/euse salesman/woman
Il/Elle travaille... He/She works...
sur un chantier on a building site
dans une ferme on a farm
une usine a factory
un magasin a shop
un salon de coiffure a hairdresser's
un garage a garage
un bureau an office
un cabinet médical a doctor's surgery
un restaurant a restaurant

Unit 7

aimes-tu...? do you like...?
j'aime... I like...
je n'aime pas... I don't like...
aller au fast-food going to a fast-food restaurant
aller au cinéma going to the cinema
aller au club going to a club
faire du vélo cycling
faire du sport doing sports
écouter de la musique listening to music
jouer avec l'ordinateur playing on a computer
regarder la télévision watching television
te reposer relaxing
lire reading
sortir going out
danser dancing
aller au cinéma, comment le trouves-tu? how do you like going to the cinema?
c'est super! it's great!
c'est cool! it's cool!
c'est marrant! it's good fun!
c'est pas mal! it's not bad!
c'est pénible! it's a drag!
c'est barbant! it's boring!
c'est nul! it's a waste of time!
bof! so what?!

Unit 8

tu aimes...? do you like...?
qu'est-ce que tu vas faire? what are you going to do?
j'aime... I like...
je vais I'm going to go
je n'aime pas... I don't like...
nager swimming
plonger diving
jouer au foot playing football
jouer au tennis playing tennis
jouer au squash playing squash
jouer au ping-pong playing table-tennis
faire du vélo cycling
faire du skate skateboarding
faire du patin à roulettes roller-skating
faire de l'équitation riding
faire de la planche windsurfing
aller à la pêche fishing

Unit 9

qu'est-ce que tu préfères comme... what sort of ... do you prefer?
musique music
sport sport
jeu game
couleur colour
plat food
boisson drink
émission television programme
vacances holidays
matière school subject
je préfère I prefer
la musique pop pop music
jouer au foot playing football
jouer aux cartes playing cards
le rouge red
les pizzas pizzas
le café coffee
les feuilletons serials
les vacances au bord de la mer holidays by the sea
le français French
qu'est-ce que tu préfères lire?
je préfère les magazines I prefer magazines
mon livre préféré, c'est... my favourite book is...
ma boisson préférée, c'est my favourite drink is...
mon émission préférée, c'est... my favourite television programme is...
mes vacances préférées, ce sont... my favourite holidays are...